Edition Schott

ɔthek

Norbert Burgmüller
1810 – 1836

Duo

für Klarinette und Klavier
for Clarinet and Piano

Es-Dur / E♭ major / Mi♭ majeur
opus 15

Herausgegeben von / Edited by
Walter Lebermann

KLB 2
ISMN 979-0-001-09797-0

www.schott-music.com

Mainz · London · Berlin · Madrid · New York · Paris · Prague · Tokyo · Toronto

Duo

Es-Dur / Mi bémol majeur / E flat major

Herausgegeben von
Walter Lebermann

Norbert Burgmüller
opus 15

22
cresc.
cresc.
f
f
27
31
cresc.
cresc.
ff
ff
risoluto
36
ff
40
ff

44
ff
50
con forza
54
dim.
dim.
58
dolce
p
64
pp
pp

70
cresc.
75
dim.
pp
cresc.
dim.
pp
cresc.
79
f
dim.
pp
cresc.
f
dim.
pp
cresc.
83
f
dim.
cresc.
f
dim.
cresc.
ff
88
ad libitum
ff
sf
adagio
adagio
p

Larghetto
dolce
pp
P
5
9
pp
P
13
17
dim. e rit.
dim. e rit.

a tempo
ppp
a tempo
ppp
p
dim.
p
p

39
rit.
pp
rit.
pp
41
43
a tempo
a tempo
pp
pp
47
51
rit.
cresc.
a tempo
pp
cresc.
rit.
a tempo
pp

63
ff
dim.
dolce
68
p
75
pp
dolce
82
88
pp
cresc.
f
p
94
f
dim.
pp
cresc.
101
f
dim.
pp
cresc.
105
f
dim.
cresc.
108
f
f
più moto
113
cresc.
120
5
6
ff
124

Allegro
dolce
f
p
fp
p
cresc.
p
f
cresc.
ff
ff
ff
ff
fff
con forza
dim.
p
pp
poco a poco cresc.

38
p
pp
rit.
41
1
1
a tempo
pp
48
52
rit.
a tempo
cresc.
pp
56
60
cresc.
dim.
63
p
pp
66
ppp
rit.

Larghetto
dolce
pp
dim.e rit.
a tempo
ppp
dim.

con forza
dim.
dolce
pp
cresc.
dim.
pp
cresc.
f
dim.
pp
cresc.
f
dim.
cresc.
ad lib.
adagio

Duo

Es-Dur / Mi bémol majeur / E flat major

Herausgegeben von
Walter Lebermann

Norbert Burgmüller
opus 15

Norbert Burgmüller

1810 – 1836

Duo

für Klarinette und Klavier
for Clarinet and Piano

Es-Dur / E♭ major / Mi♭ majeur
opus 15

Herausgegeben von / Edited by
Walter Lebermann

KLB 2
ISMN 979-0-001-09797-0

Clarinetto in Si♭

www.schott-music.com

Mainz · London · Berlin · Madrid · New York · Paris · Prague · Tokyo · Toronto

54
p
57
60
cresc.
dim.
dim.
p
63
p
pp
pp
66
ppp
ppp
rit.
rit.

Allegro
dolce
p
5
9
13
f
p
17
fp

21
p
cresc.
cresc.
25
f
f
29
cresc.
34
ff
ff
ff
39
ff

44
ff
49
fff
52
con forza
dim.
5
56
dim.
p
pp
poco a poco
61.
cresc.
ff
dim.

66
dolce
pp
p
71
p
pp
76
pp
dolce
p
81
86
pp
pp

91
cresc.
f
p
95
f
dim.
pp
99
cresc.
dim.
102
cresc.
105
f
dim.
cresc.

109
più moto
f
f più moto
113
cresc.
cresc.
117
121
ff
ff
124